Doz

Misterio en el
Mallorca Gran Hotel

Adaptación didáctica y actividades por **Margarita Barberá Quiles**

Ilustraciones de **Emiliano Ponzi**

Redacción: Massimo Sottini
Diseño y dirección de arte: Nadia Maestri
Maquetación: Carlo Cibrario Sent, Simona Corniola
Búsqueda iconográfica: Alice Graziotin

© 2014 Cideb
Primera edición: enero de 2014

Créditos fotográficos:
Istockphoto; Dreams Time; Shutterstock Images; Tips Images: 4;
© LookImages/Cuboimages: 5; Tips Images: 41; 1996-98 AccuSoft
Inc./Tips Images: 42ar; © Gervais Courtellemont/National
Geographic Society/Corbis: 42ab; © LookImages/Cuboimages: 51;
ESTELA FILMS, S.A./Album/Contrasto: 69

Todos los sitios internet señalados han sido verificados en la fecha
de publicación de este libro. El editor no se considera responsable de
los posibles cambios que se hayan podido verificar. Se aconseja a los
profesores que controlen los sitios antes de utilizarlos en clase.

Para cualquier sugerencia o información se puede establecer
contacto con la siguiente dirección:
info@blackcat-cideb.com
www.blackcat-cideb.com

Member of CISQ Federation

RINA IQNet
ISO 9001:2008
Certified Quality System

The design, production and distribution of educational materials
for the CIDEB brand are managed in compliance with the rules of
Quality Management System which fulfils the requirements of the
standard ISO 9001 (Rina Cert. No. 24298/02/S - IQNet Reg. No. IT-80096)

ISBN 978-88-530-1426-9 libro + CD

Impreso en Italia por Litoprint, Génova

Índice

Texto íntegramente grabado.

Este símbolo indica las actividades de audición.

DELE Este símbolo indica las actividades de preparación al DELE.

La isla de Mallorca

La isla de Mallorca forma parte del archipiélago balear, que está situado en el Mediterráneo occidental y tiene tres islas grandes: Mallorca, Menorca e Ibiza; dos pequeñas: Formentera y Cabrera, y numerosos islotes. La capital administrativa es Palma de Mallorca.

Situada frente a las costas del levante español, sus puntos más alejados distan unos 75 km de Norte a Sur y 100 km de Este a Oeste. Por sus bellos paisajes, su clima suave mediterráneo y sus posibilidades hoteleras, Mallorca es uno de los centros turísticos más importantes de España.

Su relieve se resume en dos líneas montañosas: la sierra de Tramontana al Noroeste y las sierras de Levante al Este, y una amplia llanura central: el **Plá**.

La sierra de Tramontana se eleva paralelamente a la costa, culminando en el **Puig Major** (1445 m). Aunque no es muy elevada, constituye una imponente barrera rocosa que cae bruscamente al mar. Pinos, enebros y encinas crecen en las laderas, en las que el cultivo típico es el olivo, cuyos troncos retorcidos caracterizan el paisaje mallorquín. Las pendientes se aprovechan para cultivar frutales en acrobáticas terrazas. En el Plá seco, se cultivan cereales, junto con el almendro o la higuera.

Los pueblos conservan los planos de las fortalezas medievales, y en los alrededores aparece la silueta del molino que extrae agua del subsuelo.

Al Este, la erosión ha formado magníficas grutas y la costa, rocosa y recortada, posee innumerables calas de arena fina.

Palma de Mallorca

Está instalada en el fondo de una amplia bahía, protegida por colinas arboladas, abrigada de los vientos del Norte y del Oeste por la cadena del Puig Major, que le permite gozar durante todo el año de un clima apacible.

Su orgullosa catedral gótica vigila la ciudad antigua, de glorioso pasado marinero. Su primera piedra fue colocada después de la victoria sobre los musulmanes en 1230, y cuatro siglos después se concluye su portada (1601).

La ciudad, liberada después de la batalla del 31 de diciembre de 1229, vive el periodo más próspero de su historia. Estará en constante relación con Barcelona, Valencia, los países africanos e incluso con la Europa nórdica. Los genoveses tienen allí su banco particular. Jaime II y sus sucesores construyen hermosos monumentos góticos, y la expansión aragonesa en Nápoles y Sicilia amplía la zona de su influencia comercial.

En los siglos XV y XVI, las grandes familias de la alta burguesía comerciante y de la aristocracia terrateniente adoptan el gusto italiano. Se instalan en elegantes residencias renacentistas. Estos ricos ciudadanos construyen también en la montaña del norte de Palma suntuosas villas veraniegas rodeadas de cuidados jardines.

El **turismo** hoy es el factor económico más importante. La industria del calzado está en plena expansión. Las fábricas de perlas artificiales de Manacor encuentran mercado a nivel mundial.

La producción agrícola de frutos frescos (tomates) o secos (higos, albaricoques) se destina a la industria conservera, mientras que la almendra se exporta en su mayor parte.

Gastronomía

Mallorca tiene una gastronomía exquisita y la **ensaimada**, que es un bollo hojaldrado relleno de nata, es una de sus especialidades. Otra especialidad típica de Baleares es la salsa mahonesa, que procede de Mahón (Menorca).

Artesanía

Mallorca tiene una gran tradición artesanal: los **siurells**, que son figuritas de barro con un silbato adosado, son un producto típico de la artesanía mallorquina. Muy conocidas son también las **menorquinas**, un tipo de calzado para hombres y mujeres que se exportan a todo el mundo.

Comprensión lectora

1 Vuelve a leer el texto e indica si las siguientes afirmaciones son verdaderas (V) o falsas (F).

		V	F
1	El archipiélago balear tiene cinco islas grandes.	☐	☐
2	Mallorca es un importante centro turístico.	☐	☐
3	La catedral de Palma de Mallorca es gótica.	☐	☐
4	En Mallorca no se cultivan cereales.	☐	☐
5	Palma de Mallorca se encuentra en el interior de la isla.	☐	☐
6	En el s. XIII Mallorca vive un periodo muy próspero.	☐	☐
7	Los genoveses instalan allí su banco.	☐	☐
8	Jaime II construye monumentos románicos.	☐	☐
9	En los siglos XV y XVI triunfa el gusto por lo italiano.	☐	☐
10	En Mallorca hay fábricas de perlas artificiales.	☐	☐

Personajes

De izquierda a derecha: el doctor Roselló, Laurence, el señor Günther, la señora Elfriede, el tío Jorge, Carolina, Richard, monsieur Henri, la señora y el señor Fishbottom-Newman, el comisario.

Antes de leer

1 Estas palabras se utilizan en el capítulo 1. Asocia cada palabra con su imagen correspondiente.

a	marco	**d**	lámpara	**g**	pavimento
b	sillón	**e**	cuadro	**h**	escritorio
c	espejo	**f**	alfombra	**i**	armario

1 **2** **3** **4** **5** **6** **7** **8** **9**

De viaje

Mientras el tren se pone en marcha para dirigirse a Manacor desde
Palma de Mallorca, Carolina, asomada a la ventanilla, mira a sus
padres que no cesan de agitar las manos para despedirla. Observa
el rostro preocupado de su madre y no puede evitar suspirar.

"¡Mi madre!" Piensa la muchacha con una sonrisa, "siempre
preocupada por mí. No se ha dado cuenta de que ya no soy una
niña. Ahora ya tengo 18 años..."

Suspira de nuevo, cierra la ventanilla y se sienta. Le gustaría
leer la novela que se ha traído, pero no consigue concentrarse [1].
Está demasiado emocionada [2] y feliz: por primera vez en su vida
¡no debe pasar las vacaciones con sus padres en la playa de
costumbre! Este año le espera un verano diferente, especial, con
nuevas experiencias.

"¡Y todo gracias al tío Jorge!" piensa la muchacha. Su madre no

1. **concentrarse** : meditar, reflexionar intensamente sobre algo.
2. **emocionado** : que tiene el ánimo conmovido.

estaba muy entusiasmada con la propuesta, pero él, finalmente ¡ha conseguido convencerla! "¡El querido tío Jorge!"

El sueño de Carolina, después de haber terminado sus estudios en el instituto de Palma de Mallorca, es trabajar en la recepción de un gran hotel. El tío Jorge, en cambio, es cocinero, un cocinero famosísimo y muy experto quien, después de haber trabajado en los mejores hoteles del mundo, ha decidido, desde hace algunos años, regresar a España. Ahora es uno de los dos "chef" responsables de la cocina de un exclusivo hotel en la playa de Sa Coma. Es él quien le ha propuesto trabajar allí durante los meses estivales para hacer prácticas. Y ahora la joven se encuentra de viaje hacia Manacor, y dentro de algunos días comenzará su trabajo.

Cuando el tren llega a la estación, Carolina ve enseguida, entre el gentío, a su tío que ha venido a recibirla. Le saluda afectuosamente y juntos se dirigen hacia el coche. Al llegar al hotel, la muchacha no consigue contener un grito de sorpresa.

—¡Es maravilloso! —le dice —. ¡Un sueño!

En efecto, el famoso Mallorca Gran Hotel es un espléndido edificio transformado en hotel de lujo, muy cerca del mar y rodeado de espléndidos jardines muy bien cuidados, con olivos milenarios y altas palmeras cimbreantes[3]. Se respira paz y tranquilidad.

Cuando entran en el vestíbulo, Carolina está impresionada por la fastuosidad de la decoración: sobre el pavimento en terracota hay espléndidas y mullidas[4] alfombras, mientras que del techo penden hermosas lámparas de cristal. En las paredes hay colgados espejos con los marcos dorados y grandes cuadros que representan paisajes de la isla. Los muebles antiguos son de gran valor. Enormes ramos de flores, con grato y agradable perfume están dispuestos

---

3. **cimbreante** : ondulante.   4. **mullido** : cómodo, suave.

por todas partes. Algunos huéspedes cómodamente sentados en sillones, charlan, beben algo o leen el periódico. Los empleados del hotel, con elegante uniforme azul oscuro, se mueven discretamente por el vestíbulo.

Carolina y su tío suben al último piso, donde se encuentran los aposentos para los empleados del hotel. Su tío le muestra enseguida la habitación. Es pequeña pero está bien decorada: frente a la puerta hay una cama, en la esquina, a la izquierda un escritorio y un silloncito, a la derecha se encuentra un armario. Desde la ventana hay una bellísima vista del mar. Carolina se asoma y se queda encantada del panorama. Le gustaría expresar su entusiasmo, pero su tío le dice:

—Hoy es mi día libre. Después de arreglarte, si no estás demasiado cansada, podemos dar una vuelta por la ciudad, y luego podemos cenar en algún sitio. ¿Qué te parece?

—¡Desde luego, tío! Por mí estupendo, ¡Gracias! Pero primero me gustaría llamar a la mamá, ya sabes cómo es...

Naturalmente el tío está de acuerdo, conoce muy bien a su hermana y le propone esperarla en el parking del hotel.

Después de pasar una agradable velada juntos, el tío y la sobrina regresan al Mallorca Gran Hotel.

—Por la mañana el desayuno para el personal es a las siete en punto. ¡Te recomiendo puntualidad! El director, el señor Günther, ¡está muy pendiente de la puntualidad y el orden! Te lo presentaré: parece una persona muy severa, pero en realidad es muy agradable y correcto. Buenas noches Carolina. ¡Hasta mañana!

—¡Buenas noches tío! Y ¡gracias por todo! ¡Estoy verdaderamente feliz de estar aquí!

Carolina sube a la habitación, se prepara para la noche y se duerme feliz.

Después de leer

Comprensión lectora

1 Vuelve a leer el capítulo e indica si las siguientes afirmaciones son verdaderas (V) o falsas (F).

		V	F
1	En la estación Carolina se despide de las amigas.	☐	☐
2	Carolina está feliz porque no va de vacaciones con sus padres.	☐	☐
3	Gracias al tío, Carolina puede trabajar en el hotel.	☐	☐
4	El director del hotel ha venido a recibirla.	☐	☐
5	El Mallorca Gran Hotel es sencillo.	☐	☐
6	El vestíbulo está suntuosamente decorado.	☐	☐
7	La habitación de Carolina tiene vista al mar.	☐	☐
8	El tío Jorge invita a su sobrina a cenar.	☐	☐
9	El tío le recomienda puntualidad en el desayuno.	☐	☐
10	Carolina está nerviosa y no consigue dormir.	☐	☐

2 Carolina le describe a su madre el vestíbulo del hotel, pero comete algunos errores. Encuéntralos y subráyalos.

Sobre el pavimento de mármol hay espléndidas y finas alfombras, mientras que del techo penden hermosas lámparas de bronce.

En las paredes hay colgados espejos con los marcos dorados y pequeños cuadros que representan paisajes de la isla. Los muebles modernos son de gran valor. Enormes ramos de flores, con grato y agradable perfume están dispuestos por todas partes. Algunos huéspedes cómodamente sentados en sillones duermen, beben algo o leen el periódico.

Los empleados del hotel, con elegante uniforme verde oscuro, se mueven negligentemente por el vestíbulo.

Léxico

DELE **3** Elige el contrario de los siguientes adjetivos.

		a		b	
1	Preocupado	a	☐ cansado	b	☐ tranquilo
2	Emocionado	a	☐ sosegado	b	☐ distinto
3	Feliz	a	☐ triste	b	☐ ansioso
4	Grande	a	☐ mínimo	b	☐ pequeño
5	Maravilloso	a	☐ espantoso	b	☐ estúpido
6	Suave	a	☐ dulce	b	☐ duro
7	Inmenso	a	☐ famoso	b	☐ reducido
8	Antiguo	a	☐ moderno	b	☐ caro
9	Elegante	a	☐ distinto	b	☐ descuidado
10	Severo	a	☐ dañino	b	☐ indulgente

4 Indica qué adjetivos de la actividad precedente pueden ser utilizados para describir a una persona, y cuales para describir un hotel.

Una persona	Un hotel

Gramática

Los adjetivos posesivos

	Un solo poseedor	Varios poseedores
Sing.	mi	nuestro-a (con una cosa poseída)
Plur.	mis	nuestros-as (con varias cosas poseídas)
Sing.	tu	vuestro-a (con una cosa poseída)
Plur.	tus	vuestros-as (con varias cosas poseídas)
Sing.	su	su (con una cosa poseída)
Plur.	sus	sus (con varias cosas poseídas)

Los adjetivos *mi*, *tu*, *su* solo concuerdan en número, mientras que *nuestro* y *vuestro* concuerdan en género y número.

 5 Completa con los adjetivos posesivos adecuados.

Carolina se despide de (1) .... padres en la estación.
(2) «¡........................... madre!» piensa «, siempre preocupada por mí.»
Por primera vez en (3) .... vida no debe pasar las
vacaciones con los padres. (4) «¡ .... tío Jorge es genial!»
piensa Carolina al verle. —¡No podía olvidar (5) .... cita! —
dice (6) .... tío en la estación.
—Podemos tomar (7) .... cena en el centro de la
ciudad —dice el tío Jorge —, pero antes vamos al hotel y te muestro
(8) .... habitación.

Expresión escrita y oral

 6 Escribe un e-mail a un/a amigo/a en el que describes el centro histórico de tu ciudad y le invitas a venir a verte.

7 Cuando Carolina llega a su habitación llama entusiasmada a su mejor amiga y le describe el hotel ¿Qué le dirá?

Antes de leer

1 Estas palabras son utilizadas en el capítulo 2. Asocia cada palabra a su imagen correspondiente.

a cocina

b baño

c SPA

d comedor

e habitación

f piscina cubierta

g recepción

h gimnasio

i caballerizas

El Mallorca Gran Hotel

Al día siguiente Carolina se levanta temprano, se prepara y baja a la cocina, donde el personal del hotel ya está desayunando alrededor de una gran mesa. Su tío viene a su encuentro, la saluda y le presenta a todos. Mientras está desayunando, llega el director del hotel, acompañado por su ayudante, la señora Elfriede. Él es un señor suizo de mediana edad, vestido elegantemente mientras que ella es una señora alemana de unos cuarenta años, rubia con cara simpática. Los dos la saludan, seguidamente el señor Günther se dirige a Carolina para darle la bienvenida.

—Cuando termines de desayunar, la señora Elfriede te mostrará el hotel y te explicará cuáles son tus tareas.

—¡Ya he terminado! —responde tímidamente la joven —. Si la señora Elfriede lo desea, podemos ir. Estoy lista.

—¡Estupendo! —concluye el señor Günther —. Entonces, mañana empiezas a trabajar. Si tienes algún problema o duda habla conmigo. ¡Que tengas un buen día!

La señora Elfriede comienza enseguida la visita del hotel, mostrándole la enorme cocina. Después pasan al espléndido comedor, donde algunos camareros acaban de preparar el buffet para el desayuno, repleto de frutas exóticas de bellísimos colores, pan de todas clases, quesos, yogures, tartas de aspecto apetitoso...

"¡Madre mía!" piensa Carolina admirada. "¿Cómo es posible comer todo esto tan temprano por la mañana?"

La voz de la señora Elfriede interrumpe sus pensamientos.

—Tu primera tarea, mañana, será servir el desayuno con la ayuda de Valentine, una joven francesa que hace prácticas en el hotel desde hace ya algunos meses.

Salen del comedor y, antes de subir a los pisos superiores, donde se encuentran las habitaciones y las suites [1], la señora Elfriede acompaña a Carolina a las oficinas de recepción. Hoy, hay mucho trabajo, algunos empleados están atareados respondiendo al teléfono, otros trabajan con los ordenadores, otros saludan a los huéspedes que parten o que llegan. Laurence, también ella francesa, es la responsable de la sección. Cuando ve entrar a Carolina y a la asistente del director, la joven la saluda cordialmente. Después de las presentaciones, Laurence le da algunas breves informaciones sobre su trabajo.

—¡No debes preocuparte! —le dice —. No es difícil y además ¡yo estoy siempre aquí para echarte una mano [2] en caso de necesidad!

A continuación suben al primer piso, donde la señora Elfriede le muestra algunas habitaciones, lujosísimas y decoradas con mucho gusto. Cada día Carolina, junto a su nueva compañera Valentine, debe limpiar las habitaciones y los cuartos de baño, y hacer las camas.

---

1. **suite** : habitación doble, de lujo.
2. **echar una mano** : ayudar.

CAPÍTULO 2

La visita al Mallorca Gran Hotel concluye con el gimnasio y el SPA, instalados en las antiguas caballerizas del edificio. Carolina pregunta:

—¿Los empleados del hotel pueden utilizar el gimnasio?

—Normalmente no... Pero por ti hago una excepción[3], si me prometes ir solamente durante la pausa del mediodía. ¿Te parece bien?

—Me parece estupendo —le agradece la joven.

—Entonces se lo indico enseguida a Richard, el responsable — concluye la señora Elfriede.

Mientras la ayudante del director llama por teléfono, Carolina mira alrededor, está fascinada viendo todos esos artefactos modernísimos cuidados y en perfecto orden. Se da cuenta de que sobre el manillar de las bicicletas y de las cintas para caminar hay colocadas pequeñas pantallas. La señora Elfriede observa el estupor de la joven y le explica:

—Nuestros clientes pueden distraerse mirando sus programas preferidos y al mismo tiempo hacer ejercicio.

Antes de salir, echan un vistazo[4] a la gran piscina cubierta, y después la señora Elfriede mira el reloj y exclama:

—¡Es casi mediodía y tengo todavía mucho trabajo por hacer! Si no te importa, terminamos aquí la visita.

Después de cerrar la puerta del gimnasio, la señora Elfriede se despide de Carolina, le desea un buen día y le entrega un folio con el plan de trabajo.

La joven, una vez sola, decide pasar su último día libre tomando el sol en un rinconcito escondido de la playa privada del hotel.

---

3. **excepción** : cosa que se aparta de la regla.
4. **echar un vistazo** : mirar de manera ligera o superficial algo.

Después de leer

Comprensión lectora

1 Vuelve a leer el capítulo y elige la alternativa correcta.

1 Carolina desayuna en
 a ☐ el jardín.
 b ☐ la cocina.
 c ☐ el comedor.

2 El director y su ayudante le dan a Carolina
 a ☐ el plan de trabajo.
 b ☐ un día libre.
 c ☐ la bienvenida.

3 La señora Elfriede comienza la visita del hotel desde
 a ☐ la recepción.
 b ☐ el comedor.
 c ☐ la cocina.

4 Cuando ve el buffet del desayuno, Carolina se muestra
 a ☐ feliz.
 b ☐ maravillada.
 c ☐ desilusionada.

5 La compañera de trabajo de Carolina es
 a ☐ francesa.
 b ☐ inglesa.
 c ☐ portuguesa.

6 El gimnasio y el SPA se encuentran en las antiguas
 a ☐ cocinas.
 b ☐ caballerizas.
 c ☐ habitaciones.

7 Solamente por Carolina la señora Elfriede hace una
   a ☐ excursión.
   b ☐ excepción.
   c ☐ exposición.

8 Mientras hacen los ejercicios en el gimnasio, para distraerse, los huéspedes pueden mirar
   a ☐ la televisión.
   b ☐ cuadros antiguos.
   c ☐ el mar.

9 Antes de salir del gimnasio, Carolina y la señora Elfriede miran brevemente
   a ☐ los aparatos.
   b ☐ la piscina.
   c ☐ la lista de huéspedes.

10 Durante su última jornada libre, Carolina decide
   a ☐ mirar los escaparates de las tiendas.
   b ☐ dormir.
   c ☐ ir a la playa privada del hotel.

Comprensión auditiva

2 Escucha el fragmento y di si las siguientes afirmaciones son verdaderas (V), falsas (F) o no se dice (¿?).

	V	F	¿?
1 Normalmente los españoles para desayunar toman un café.	☐	☐	☐
2 Los franceses para desayunar toman huevos.	☐	☐	☐
3 Los alemanes para desayunar toman cereales.	☐	☐	☐
4 Los ingleses para desayunar toman un croissant.	☐	☐	☐
5 En Estados Unidos para desayunar toman tortitas con jarabe de arce.	☐	☐	☐
6 El desayuno de los países nórdicos es mucho más abundante que el de los países meridionales.	☐	☐	☐

Gramática

Los pronombres posesivos

		Un solo poseedor			Varios poseedores		
		1ª pers.	2ª pers.	3ª pers.	1ª pers.	2ª pers.	3ª pers.
Singular	Masculino	mío	tuyo	suyo	nuestro	vuestro	suyo
Plural	Masculino	míos	tuyos	suyos	nuestros	vuestros	suyos
Singular	Femenino	mía	tuya	suya	nuestra	vuestra	suya
Plural	Femenino	mías	tuyas	suyas	nuestras	vuestras	suyas

3 Marca con un círculo los pronombres posesivos que aparecen en este texto:

Vivimos en un hotel en Mallorca. El nuestro es el que está más cerca del mar. El dormitorio de mi compañera Laurence es el de la ventana de la derecha, el mío es el de la ventana de la izquierda. Mi dormitorio es más grande que el suyo. Este hotel no es como el vuestro: está hecho de piedra y madera. Las puertas son de madera y no de aluminio como las vuestras. El tejado es de pizarra y el del tuyo es de tejas.

4 Coloca cada pronombre posesivo que has encontrado en el texto anterior en su lugar correspondiente de la tabla.

		Un solo poseedor			Varios poseedores		
		1ª pers.	2ª pers.	3ª pers.	1ª pers.	2ª pers.	3ª pers.
Singular	Masculino						
Plural	Masculino						
Singular	Femenino						
Plural	Femenino						

Expresión escrita y oral

5 ¿Qué se suele tomar para desayunar en tu país? Escribe un texto. (100 palabras)

6 ¿Qué puedes ofrecer para desayunar a tus amigos ingleses?

25

Primer día de trabajo

Hoy es el primer día de trabajo de Carolina. Se levanta, se prepara rápidamente y, antes de bajar a tomar el desayuno, echa otro vistazo a su plan de trabajo.

"Entonces… desde las 8 hasta las 10 debo colaborar sirviendo los desayunos y revisar la comida del buffet; desde las 10 hasta las 12 debo ayudar a Valentine a poner en orden las habitaciones; desde las 12 hasta las 14 aproximadamente, descanso; a continuación, desde las 14 hasta las 16 debo echar una mano al personal de la cocina; desde las 16 hasta las 18, en cambio, debo ayudar al personal de la recepción. ¡Perfecto! Está todo muy bien organizado. ¡Es hora de ponerse en marcha!"

Baja a la cocina, saluda, se sienta a la mesa y desayuna con los demás.

Cinco minutos más tarde llega el director, impecable [1], como siempre, junto a su ayudante y con una joven, bajita y regordeta [2].

1. **impecable** : perfecto, pulcro.
2. **regordeta** : con unos cuantos kilos de más.

El señor Günther con su extraño acento le dice:

—Ella es tu compañera de trabajo, Valentine, es francesa, de Lyon.

Ambas se saludan cordialmente y se caen bien[3] de inmediato.

En la estancia contigua a la cocina el tío tiene una reunión con sus asistentes, para hablar acerca de una fiesta muy importante que están organizando para el sábado.

Desde la puerta saluda a su sobrina.

—¡Ánimo! ¡Esta noche en la cena quiero saber cómo te ha ido en tu primer día de trabajo!

Le da una palmadita[4] afectuosa en la espalda y regresa a su reunión.

Durante la pausa del mediodía Carolina, a causa de la emoción, no tiene apetito. "Servir el desayuno y ordenar las habitaciones" piensa ", ha ido estupendamente. Valentine es una chica simpática, pero ¡es tan charlatana!"

Decide ir al gimnasio para hacer un poco de ejercicio y relajarse. La puerta está cerrada, así que toca el timbre: le abre un chico alto, rubio con maravillosos ojos azules.

—Buenos días —le dice sorprendido, con fuerte acento americano —. Lo siento, pero ahora el gimnasio está cerrado y abre a las dos de la tarde.

—Lo sé —le responde la joven tímidamente —. Pero tengo el permiso de la señora Elfriede, hago prácticas aquí durante todo el verano...

—¡Ah! —la interrumpe cortésmente el joven —. ¡Te pido perdón! La señora Elfriede me ha avisado... Tú eres Carolina... Encantado, yo soy Richard. Si quieres entrar te lo muestro...

3. **caerse bien** : simpatizar.
4. **palmadita** : golpe amistoso dado con la mano.

Durante la visita el joven, responsable del perfecto funcionamiento del gimnasio, le dice que es de Estados Unidos, de Boston.

Estudia Medicina en la universidad cercana a su ciudad. Añade que durante las vacaciones estivales ha trabajado frecuentemente en los gimnasios de algunos hoteles de lujo en Florida y en la costa de Nueva Inglaterra.

Le cuenta que sus abuelos proceden de España, exactamente de Galicia, y que durante esta estancia quiere perfeccionar el idioma.

Carolina, que encuentra al joven muy simpático y también guapo, tiene enseguida una idea.

—Escucha... yo quiero mejorar mi inglés. ¿Por qué no quedamos [5] de vez en cuando después del trabajo? ¿Al caer la tarde, por ejemplo? Yo te corrijo [6] tu español y tú ¡haces lo mismo con mi inglés! ¿Qué te parece? —le pregunta la joven sorprendida por su repentino valor.

—¡Es una buena idea! Sí, ¡es realmente una buena idea! ¿Cuándo empezamos?

—Esta misma tarde si quieres —le propone Carolina —. Si no estás demasiado cansado...

—¡Ok! —le contesta Richard —. Oh no, ¡perdona! Quería decir, ¡de acuerdo!

---

5. **quedar** : verse, concertar una cita.
6. **corregir** : subsanar lo errado.

Después de leer

Comprensión lectora

1 **Vuelve a leer el capítulo y responde a las preguntas.**

1   ¿Cómo comienza la primera jornada de trabajo de Carolina?

2   ¿Quién llega junto al director?

3   ¿Qué impresión tiene Carolina de su compañera de trabajo?

4   ¿Dónde se encuentra y qué hace el tío de Carolina, mientras ella desayuna?

5   ¿Qué decide hacer Carolina durante la pausa de mediodía?

6   ¿Quién le abre la puerta del gimnasio?

7   ¿Qué impresión le causa Richard a Carolina?

8   Mientras habla con Richard, Carolina tiene una idea. ¿Cuál?

2 **Escribe todas las informaciones que recuerdas de cada personaje.**

Carolina	
El tío Jorge	
La señora Elfriede	
El señor Günther	
Laurence	
Valentine	
Richard	

Léxico

3 Escribe debajo de cada foto la relación de parentesco con respecto a Marcos, eligiendo entre las palabras indicadas en el cuadro.

> primo   tío   hermana   abuelo   padre
> prima   hermano   madre   tía   abuela

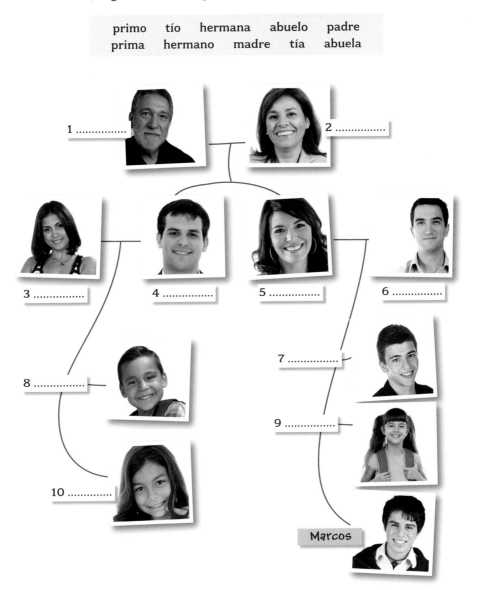

1 ....   2 ....

3 ....   4 ....   5 ....   6 ....

7 ....

8 ....

9 ....

10 ....

Marcos

4 Busca en el cuadro los nombres de parentesco escondidos.

```
G  S  T  H  E  R  M  A  N  A
H  U  G  B  E  M  A  D  R  J
G  O  C  A  B  U  E  L  A  R
E  C  U  L  B  A  O  I  T  A
P  R  I  M  O  N  F  D  I  O
U  T  I  O  N  D  B  H  Y  T
B  U  N  M  T  O  S  D  M  K
T  I  A  P  G  P  A  D  R  E
D  B  C  V  C  E  C  Q  V  O
D  V  H  E  R  M  A  N  O  R
```

5 Busca el intruso.

1   cónyuge — esposo — novia — marido — mujer

2   suegro — nuera — hermana — yerno — cuñado

3   hermano — sobrino segundo — sobrino nieto — sobrino

4   padres — hijos — hermanos — abuelos — cuñados

Gramática

La expresión de la hora

Las horas se expresan con el **verbo ser** en 3ª persona del plural del presente de indicativo y el **artículo determinado** en femenino plural.
Son las cuatro y media
Son las tres menos cinco

Para indicar las principales fracciones horarias se utilizan las expresiones: *en punto, y cuarto, y media*

¡Atención!
Se expresan en **singular**

Es la una

Es mediodía = Son las doce de la mañana

Es medianoche = Son las doce de la noche

Para preguntar la hora se dice: *¿Qué hora es?*
Para responder: *Son las cinco.*

6 Ordena las frases siguientes.

1   ¿ / el / nos / 8 / las / a / bar / encontramos / en / ?

2   media / nuestro / llega / cinco / a / las / y / tren

3   a / tengo / mañana / dentista / el / con / cita / 6 / las

4   7 / abre / las / gimnasio / el / a

5   ¿ / cine / a / sesión / las / vamos / la / al / 6 / de / ?

6   ¿ / pausa / para / las / aperitivo / el / hacemos / 12 / una / de / ?

7   a / trabajo / sale / 7 / del / Dafne / las

8   medianoche / la / dormir / hacia / a / vamos

7 Dibuja las saetas del reloj.

a   Son las 2 y 5   c   Son las 18 y 40   e   Son las 7 menos 5

b   Son las 20 menos 10   d   Es mediodía   f   Es la 1 y media

Expresión escrita y oral

8 Describe a tu familia. Escribe informaciones (profesión, costumbres, aspecto físico, carácter) de cada uno de ellos. Si lo prefieres te puedes "inventar" una familia.

9 Describe tu jornada laboral.

El segundo chef, Monsieur Henri

Al día siguiente, cuando se despierta, Carolina vuelve a pensar en la agradable velada transcurrida con su nuevo amigo.

"Richard" piensa, "es verdaderamente un chico simpático, inteligente y educado. Estoy muy feliz por haberle conocido."

Mientras desayuna con los demás, alguien abre la puerta con violencia y, sin saludar, grita con un fuerte acento francés:

—¡Ah voilà Mademoiselle Carolina! La sobrina, supongo, de nuestro famoso gran chef, Jorge... ¡Bienvenida entre nosotros!

La joven dirige la mirada hacia la puerta todavía abierta y ve a un cómico hombrecito gordo con un bigotito ridículo y anticuado.

—Buenos... —balbucea[1] confusa Carolina.

—Yo —la interrumpe el hombrecito —, soy Henri, mejor dicho Monsieur Henri, ¡el segundo chef!

Y se marcha dando de nuevo un portazo.

Más tarde, mientras ponen en orden las habitaciones, Valentine

---

1. **balbucir** : hablar con pronunciación dificultosa y vacilante.

le explica que Henri, llamado por todo el personal Monsieur Boliche[2] por su aspecto físico, es precisamente el segundo chef del hotel. Él y el tío Jorge trabajan en días alternos.

—No obstante —continúa la joven —, casi todos los huéspedes del hotel prefieren la cocina refinada y original de tu tío. Naturalmente, Monsieur Henri está muy celoso. Y no lo esconde, ¡como ya has visto hoy!

Al mediodía, mientras Carolina come, llega su tío. Hoy es su día libre, pero ha venido igualmente al hotel porque debe revisar con sus asistentes el menú de la famosa fiesta.

El próximo sábado, una señora muy rica americana celebra su cumpleaños y quiere a Jorge como único chef para su cena.

Después de haber saludado a todos, el tío está a punto de entrar en su despacho junto a la cocina, cuando de improviso, se abre una puerta y aparece Henri que le grita, furioso:

—¡Me quieres arruinar! ¿Qué le has dicho a Madame Fishbottom? Te aseguro que esta me la pagas... ¡Esto no termina aquí!

Todos los presentes le miran turbados[3]. No le han visto nunca tan furioso. Alguien se le acerca, le coge amablemente por el brazo y le susurra algo al oído con la intención de poner fin a la escena. Todo es inútil: Henri continúa chillando, y agitando las manos de modo amenazante y vociferando en su lengua palabras que nadie consigue comprender. A los gritos del segundo chef acuden también el director y su asistente.

—Monsieur Henri, por favor, debe calmarse —le dice amablemente el señor Günther —, porque nuestros huéspedes pueden oírle. ¿Qué ha sucedido? Si me acompaña a mi despacho me puede explicar qué ha pasado.

---

2. **boliche** : pelota, bola pequeña.

3. **turbado** : incómodo, violento.

La intervención del director pone todavía más furioso a Henri, quien comienza a hacerle reproches:

—Usted —le dice chillando [4] —, no me ayuda. ¡No me da ninguna oportunidad! Los mejores encargos son siempre para él. ¡Solamente para Jorge! Usted...

Al oír estas palabras, el director comienza a perder la paciencia: su amabilidad tiene un límite. Intenta defenderse de las acusaciones insensatas de Henri, pero sin éxito.

Entonces interviene la señora Elfriede, más enérgica y decidida, agarra por un brazo al cocinero, que continúa vociferando e intenta sacarlo fuera empujándolo hacia la salida.

—¡Vamos! —le dice —. ¡Vamos al jardín, así podemos tratar de [5] razonar con calma!

Henri no opone resistencia y se deja conducir fuera, pero antes de abandonar la estancia se gira y está a punto de decir algo más al tío y al director, pero la señora Elfriede le interrumpe.

—¡Vamos, ya basta! —concluye la mujer.

Cuando se han marchado, el ambiente en la cocina es gélido, nadie tiene el coraje de hablar o de hacer nada. El tío intenta desdramatizar [6] la situación invitando a todos a volver a comer, seguidamente se acerca a su sobrina y en tono amable le dice:

—No debes preocuparte. Normalmente no se comporta así. Ya lo sé que está celoso de mí y de mi trabajo, pero su reacción de hoy... ¡es insólita! De todos modos estoy seguro de que todo ha terminado.

Después de haberle hecho algunas preguntas sobre su trabajo, se despide y desaparece en su despacho seguido por sus asistentes.

"No estoy muy convencida, pero ¡espero que sí!" piensa la chica.

---

4. **chillando** : gritando.
5. **tratar de** : intentar.
6. **desdramatizar** : atenuar la gravedad de algo.

Después de leer

Comprensión lectora

1 Vuelve a leer el capítulo y contesta a las preguntas.

1 ¿Qué piensa Carolina de Richard?
2 ¿De qué modo saluda a la joven el segundo cocinero?
3 ¿Valentine le da a Carolina informaciones sobre Monsieur Henri?
4 ¿Por qué trabaja hoy su tío si es su día libre?
5 ¿Por qué está furioso Monsieur Henri?
6 ¿Quién interviene para calmar al enfurecido chef?
7 ¿Adónde van la señora Elfriede y Monsieur Henri?
8 El tío ¿trata de tranquilizar a Carolina?
9 ¿Qué piensa Carolina de las palabras de su tío?

Comprensión auditiva

2 Escucha y completa la ficha con algunas informaciones acerca del chef francés.

Henri Rongier	
Edad	
Familia	
Aspecto físico	
Origen	
Curriculum profesional	
Actividades en el tiempo libre	

Léxico

3 Expresión de los sentimientos. Completa las siguientes frases con las formas del cuadro.

> Qué maravilla — Qué bien — Qué asco — De verdad

1 ¡........................, Marina! ¡Tu habitación es preciosa!
2 — Mamá, ¡hoy he sacado un diez en Matemáticas!
   — ¡........................, hijo mío!
3 — Juan, ¿sabes que mañana me voy de vacaciones a Mallorca?
   — ¿........................? ¡Pásatelo bien!
4 ¡........................! ¡Esta sopa tiene un sabor horroroso!

4 Encuentra el intruso.

1 guapo / aburrido / económico / bajo

2 peligroso / bonito / simpático / delgado

3 gordito / inteligente / rojo / tímido

4 alto / verde / divertido / anciano

5 sensible / arrogante / difícil / estúpido

6 vanidoso / atractivo / nublado / gordo

5 Elige los adjetivos que se refieren a Valentine, a la señora Elfriede, al director del hotel, a Richard y al chef francés.

> severo   furioso   amable   elegante   rolliza   rubio
> correcto   rubia   simpática   impecable   inteligente   pequeñita
> charlatana   gracioso   cómico   gordo   decidida   alto

1 Valentine es ....

2 La señora Elfriede es ....

3 El señor Günther es ....

4 Richard es ....

5 Henri es ....

Gramática

El superlativo absoluto

El superlativo absoluto se forma poniendo delante del adjetivo o del adverbio: *muy*

Ej. *Es una chica muy guapa.*

Los superlativos se forman también de adjetivos y adverbios mediante sufijos. El sufijo mantiene las terminaciones de género y número normales en los adjetivos.

Ej. *Es una chica guapísima.*

guapo   guapísimo   guapa   guapísima
guapos   guapísimos   guapas   guapísimas

6 Transforma en superlativo absoluto los adjetivos del cuadro y después completa las frases siguientes. ¡Recuerda que tienen que concordar en género y en número!

perezoso	hábil	elegante	grande	pequeño	alto

1 Carmen se ha comprado un coche ....

2 Nunca haces deporte, eres una persona ....

3 En nuestra ciudad hay tiendas ....

4 Busco un piso ....

5 Ana y Valentina son dos chicas ....

6 Como enseñante Mario es ....

Expresión escrita

7 En un concurso has ganado un largo fin de semana (llegada el jueves/ salida el domingo) en el *Mallorca Gran Hotel*. ¿Qué prefieres hacer? ¿Descansar? ¿Utilizar el SPA? ¿Visitar la zona? ¿O quizá un poco de todo? Inserta en el cuadro tu programa.

Mallorca Gran Hotel

	Jueves	Viernes	Sábado	Domingo
Mañana				
Tarde				
Noche				

Mallorquines célebres
y *visitantes ilustres*

Entre los mallorquines célebres se encuentra **Ramón Llull**, nacido en Palma en 1235. Convencido de que para lograr la conversión de los infieles era mejor la predicación que las campañas armadas, aprendió lenguas orientales y llegó a ser un célebre filósofo, teólogo y alquimista, además de viajero infatigable.

Fray Junípero Serra nacido en Petra (1713-1784) fue un misionero franciscano. Marchó a evangelizar California, donde fundó varias misiones que después se convirtieron en ciudades: San Francisco, San Diego, Santa Mónica, Santa Bárbara, Carmel, San Luis obispo, etc.

Sus restos descansan en la Basílica de la Misión de San Carlos Borromeo, misión que él mismo fundó. Es el único español que tiene una estatua en el *National Statuary Hall* (*The Old Hall of the House*), en el Capitolio de los Estados Unidos.

En el siglo XIX, Mallorca se convierte en cobijo para escritores, poetas

Retrato de
George Sand

y sabios extranjeros. En 1838, Chopín y la escritora **George Sand** pasan el invierno en la cartuja de Valldemosa. El tiempo desagradable y la hostilidad de los habitantes hacia esta peculiar pareja dejan en George Sand malos recuerdos, de los que nos habla en su obra *Un invierno en Mallorca*. Sin embargo, la mujer no oculta su entusiasmo por la belleza del paisaje, y Chopín encuentra en este opresivo ambiente la musa de su genial inspiración.

«*En Suiza* [...] *La naturaleza parece que juega con el artista. En Mallorca parece que le espera y que le invita. Aquí la vegetación afecta formas altivas y extrañas pero no despliega ese lujo desordenado bajo el cual las líneas del paisaje suizo desaparecen con frecuencia. La cima del peñasco dibuja sus contornos limpios sobre un cielo brillante, la palmera se inclina por si misma sobre los precipicios, sin que la brisa caprichosa desarregle la majestad de su belleza, y hasta el menor cactus desmedrado al borde del camino, todo parece mostrarse con una especie de vanidad para recrear la vista.*»
(de *Un invierno en Mallorca*)

En 1867 llega a la isla el **Archiduque de Austria** Luis Salvador y durante 53 años reside en la escarpada costa occidental. Fija su residencia en el predio de *La Estaca*, dedicándose al cultivo de verduras y legumbres, árboles frutales y viñas. Debido a su amor por la cultura y las artes, se convierte en un auténtico mecenas, y a él se debe el estudio más completo de las Islas Baleares. Gracias a su ayuda y a su hospitalidad, en 1896 el espeleólogo francés Édouard-Alfred Martel explora las cuevas de la isla. En 1883 el Archiduque es nombrado Miembro Honorario de la Academia Provincial de Bellas Artes de Palma de Mallorca, y en 1910 el mismo Ayuntamiento de Palma le nombra **Hijo Ilustre de Mallorca**.

La cartuja de Valldemossa en una foto de 1928.

Comprensión lectora

1 **Elige la respuesta correcta.**

1 Fray Junípero Serra fue un misionero
 a ☐ dominico.
 b ☐ jesuita.
 c ☐ franciscano.

2 En el National Statuary Hall tienen una estatua
 a ☐ tres españoles.
 b ☐ un español.
 c ☐ cinco españoles.

3 En 1838 pasó allí el invierno el músico
 a ☐ Wagner.
 b ☐ Smetana.
 c ☐ Chopín.

4 El Archiduque de Austria vivió en Mallorca alrededor de
 a ☐ cincuenta años.
 b ☐ veinte años.
 c ☐ cuarenta años.

5 Édouard-Alfred Martel fue un
 a ☐ geólogo.
 b ☐ espeleólogo.
 c ☐ astrólogo.

CAPÍTULO 5

Un incidente desagradable

Pocos días antes de la fiesta de cumpleaños, mientras las dos jóvenes ordenan una habitación, Valentine le cuenta a Carolina algunos chismes[1] sobre la señora americana.

—La señora Fishbottom-Newman es la cuarta esposa de un millonario estadounidense. Él es simpático, amable, muy deportista y encantador. Ella, sin embargo —continúa con una mueca[2] de disgusto —, es todo lo contrario: antipática, arrogante[3] y maleducada y ni siquiera guapa. Dice tener 40 años, pero en mi opinión, es mucho más vieja. Sabes, con todas las cremas caras que usa... He oído decir que, antes de casarse con el señor Fishbottom-Newman, era una actriz poco conocida... Como me ha contado Laurence, vienen por aquí cada año a pasar algunas semanas de vacaciones junto al mar. Mientras él descansa, hace deporte o visita la ciudad, ella se divierte en ir de compras. O participa en las fiestas que dan en las mansiones. ¿Te lo imaginas?

1. **chisme** : comentario en el que se suele indisponer a una persona con otra.
2. **mueca** : contracción del rostro.
3. **arrogante** : presuntuoso.

Un incidente desagradable

Valentine continúa charlando sin cansarse y Carolina, como siempre, ya no la escucha. Entre charla y charla no puede evitar dar la razón a la joven francesa. Durante el trabajo ha conocido al millonario estadounidense, al que encuentra encantador y simpático. En cuanto a su mujer, en cambio, comparte la opinión de todos los huéspedes del hotel: ¡es antipática y nunca está de acuerdo con nada!

La noche de la fiesta, toda la terraza con vistas al mar está iluminada con velas. Las mesas están decoradas de manera refinada; para la velada, el señor Günther ha decidido utilizar los platos más preciados, aquellos que reserva para las ocasiones más importantes. Por expreso deseo de la festejada, la terraza y las mesas están decoradas con flores exóticas.

En una esquina se ha instalado una pequeña orquesta que toca una música agradable, entreteniendo a los invitados durante la cena.

Para la ocasión, la señora lleva puesto un vestido elegantísimo, color oro, que un famoso estilista ha creado para ella. Las manos, los brazos, el cuello y las orejas están cubiertos de preciosas joyas. Todos los invitados están a su alrededor, la admiran y le hacen muchos cumplidos [4].

Esta noche, Valentine y Carolina también deben trabajar: ayudan a servir la cena, preparada con gran esmero por el tío Jorge. Para las dos jóvenes es un acontecimiento excepcional: nunca han visto tanto lujo y tantas personas importantes.

Entre los invitados reconocen a algunos personajes famosos. Las dos chicas están emocionadas, sobre todo cuando ven entrar a su actor preferido, un estupendo joven americano. Desgraciadamente, deben aparentar que no pasa nada y continuar su trabajo con seriedad, bajo la mirada vigilante de la señora Elfriede.

---

4. **hacer cumplidos** : dar muestras de urbanidad.

CAPÍTULO 5

Al final de la cena llega la tarta de cumpleaños, una verdadera obra maestra del tío, con 40 velitas. Valentine le da un codazo[5] a Carolina y le dice en voz baja:

—¡Imagínate! ¡Cuarenta años!

Todos los invitados aplauden, alzan las copas en señal de felicitación a la agasajada[6], que sonríe feliz y comienza a cortar la tarta, mientras la orquesta toca el *Happy birthday to you*. El señor Fishbottom-Newman está un poco aparte y observa la escena divertido: en la mano sostiene un plato lleno de *muffins*[7] a las frutas del bosque, que se come con gusto. A él no le gustan las tartas y por eso el tío le ha preparado su dulce preferido. De repente el millonario estadounidense deja caer el plato, se lleva la mano a la garganta, agoniza y cae ruidosamente al suelo.

Los invitados se dirigen hacia él, sorprendidos. Alguna señora comienza a gritar, mientras su mujer vocifera desesperada:

—¡Oh, Dios mío! ¿Qué sucede? ¡Mi pobre esposo!

Entre todo este jaleo[8] alguien dice que es mejor llamar a un médico. Pocos minutos después, en efecto, llega el médico del hotel acompañado por el señor Günther y su imprescindible ayudante. El doctor Roselló examina el cuerpo del millonario tendido por el suelo. Después de algunos, larguísimos minutos, se vuelve a poner de pie, mueve la cabeza y dice tristemente:

—Lo siento, pero el señor Fishbottom-Newman ha muerto. Quizá ha sido un infarto[9]...

Al oír esta noticia, la mujer se lleva la mano a la frente y se desmaya.

---

5. **codazo** : golpe dado con el codo.
6. **agasajada** : persona que recibe regalos y muestras de afecto.
7. **muffin** : pastelillo típico de la cocina inglesa o estadounidense.
8. **jaleo** : confusión.
9. **infarto** : lesión del corazón que puede provocar la muerte.

Después de leer

Comprensión lectora

1 Vuelve a leer el capítulo y responde a las preguntas.

1 ¿Qué están ordenando las dos jóvenes?

2 ¿De qué nacionalidad es la señora que celebra el cumpleaños?

3 ¿Por qué Carolina en un momento dado ya no escucha a Valentine?

4 ¿Carolina comparte las opiniones de Valentine?

5 ¿Cómo están decoradas las mesas?

6 ¿Cómo va vestida la anfitriona?

7 ¿Por qué están presentes en la fiesta Carolina y Valentine?

8 ¿A quién ven llegar las dos muchachas?

9 ¿Qué sucede mientras la anfitriona corta la tarta?

10 ¿Qué diagnostica el doctor?

2 Carolina le cuenta a Richard las habladurías de Valentine acerca de la huésped americana. Está muy cansada y comete varios errores. Encuéntralos.

La señora Fishbottom-Newman es la segunda esposa de un millonario americano. Él es simpático, amable, muy deportista y encantador.
Ella, sin embargo es todo lo contrario: antipática, arrogante y maleducada, y ni siquiera inteligente. Dice tener 50 años, pero en mi opinión, es mucho más vieja. Sabes, con todos los perfumes caros que usa... He oído decir que, antes de casarse con el señor Fishbottom-Newman, era una cantante poco conocida... Como me ha contado Laurence, vienen por aquí cada seis meses a pasar algunas semanas de vacaciones junto al mar. Mientras él descansa, hace deporte o visita a amigos, ella se divierte paseando. O participa en las fiestas que dan en las mansiones. ¿Te lo imaginas?

3 Aquí tienes una mesa decorada para una fiesta de cumpleaños. Empareja los nombres del cuadro con los objetos de la foto.

a   una copa

b   una cuchara

c   una servilleta

d   un cuchillo

e   un tenedor

f   un salero

g   un tenedor de postre

h   un plato

Gramática

Los adverbios temporales

Los adverbios temporales o de tiempo son aquellos que nos indican **el momento en que se realiza la acción** del verbo. Para reconocer el adverbio temporal hay que hacerse la siguiente pregunta: ¿Cuándo tiene lugar la acción?

Los adverbios *siempre* y *nunca*

Siempre y *nunca* tienen principalmente dos valores: el **durativo** y el **habitual**. En el primer caso, **siempre** se interpreta como "durante todo el tiempo", y por eso se usa el tiempo verbal en pasado, de acción terminada.

Ej. **Siempre** *fui delgada.*

Nunca *fui delgada.*

Cuando tiene valor **habitual**, se interpreta **nunca** como "ninguna vez", mientras que **siempre** como "cada vez, todas las veces". Se usa el tiempo verbal en presente de indicativo.

Ej. **Nunca** *terminamos de trabajar antes de las nueve.*

Siempre *vamos al cine los sábados.*

4 Indica si tienen valor durativo (D) o habitual (H) los adverbios *siempre* y *nunca* en las frases siguientes.

D H

1 Siempre ayudo a mi madre en casa. ☐ ☐

2 Nunca fui buen estudiante. ☐ ☐

3 Nunca como con mis padres porque trabajan. ☐ ☐

4 Siempre me levanto a la misma hora. ☐ ☐

5 Nunca me gustó la pizza. ☐ ☐

6 Mi padre siempre fue severo. ☐ ☐

Expresión oral

5 ¿Celebras tu fiesta de cumpleaños? ¿Te hacen regalos? Cuéntalo a tus compañeros.

En un hotel

Para comprender mejor cómo funciona un hotel, vamos a echar un vistazo entre bastidores. Todo el personal que trabaja en contacto directo con el público debe conocer las principales lenguas extranjeras de manera más o menos profunda, según las funciones asignadas.

La dirección

La persona más importante y con mayores responsabilidades es el **Director**. El éxito de un hotel depende en buena parte de sus capacidades organizativas. El director debe poseer dotes como la discreción, amabilidad y reserva. Debe, además, disponer de un conocimiento profundo del ramo administrativo y económico.

La administración

El **servicio de administración** tiene la tarea de gestionar todos los aspectos financieros, de proveer la adquisición de los alimentos y del material necesario para el funcionamiento del hotel. El **servicio despensa** y **cantina**, en cambio, se encarga de administrar y cuidar todos los productos alimenticios.

La recepción

Es tarea de la **recepción** acoger a los huéspedes, suministrar información, tomar nota de las reservas de las habitaciones o del restaurante. A la cabeza existe un **jefe de recepción**.

La portería

El servicio de portería se confía a un **portero de día** y a un **portero de noche**. Es su competencia registrar a los huéspedes que se alojan

en el hotel. Son ayudados por personas que se ocupan generalmente de los equipajes de los huéspedes y de pequeños encargos, como el **ascensorista** y el **botones**.

El restaurante

El restaurante es el reino del **maître** y de sus colaboradores: **el jefe de comedor**, **los camareros**. Sus tareas consisten en servir a los clientes del restaurante. El **sumiller** en cambio, da consejos sobre la elección de los vinos.

La cocina

El personal que trabaja en la cocina está dividido en diferentes grupos de trabajo, con tareas muy definidas. Cada grupo tiene su propio **chef** que es ayudado por uno o varios **pinches**.

Otras funciones

El servicio de las habitaciones es confiado a una **gobernante**. Su tarea consiste en vigilar la limpieza y el orden de las habitaciones, realizada por las **camareras**.

El cuidado de la lencería del hotel y la de los clientes es confiado a la **lavandería**.

Algunos hoteles de lujo ponen a disposición de los clientes un **mayordomo** con la tarea de hacer y deshacer el equipaje de los clientes.

Comprensión lectora

1 **Vuelve a leer el texto e indica si las siguientes afirmaciones son verdaderas (V) o falsas (F).**

                                                V F

1 Las dotes necesarias para ser director de un hotel son discreción, reserva y amabilidad. ☐ ☐

2 La tarea del servicio de administración es ocuparse de la limpieza de las habitaciones. ☐ ☐

3 En el restaurante, el sumiller da consejos a los clientes sobre los menús. ☐ ☐

4 El pinche es el ayudante del chef. ☐ ☐

5 La gobernante vigila la limpieza de las camareras. ☐ ☐

Otros incidentes

La noticia de la trágica e inesperada muerte del millonario estadounidense está en boca de todo el mundo. El personal del hotel, que sentía simpatía por el señor Fishbottom-Newman, está muy triste.

Durante la comida el tío Jorge comenta:

—¡Desgraciadamente hemos perdido a un querido amigo!

Al mediodía Carolina, impresionada por los últimos acontecimientos, decide no comer y dirigirse al gimnasio para encontrarse con su amigo. También Richard está muy afectado, y no consigue creerse el diagnóstico del doctor Roselló.

—Un infarto —dice moviendo la cabeza —. ¡No puedo creerlo! El señor Fishbottom-Newman era una persona muy deportista. Venía todos los días al gimnasio para estar en forma. Yo mismo he podido constatar... ¡que estaba en excelentes condiciones físicas! ¡Fíjate Carolina! Me ha contado que ha sido campeón de natación y que ha participado incluso en las Olimpiadas! ¡Además no era tan mayor! ¡Cuánto lo siento!

Carolina, que apenas conocía al millonario estadounidense, no sabe qué decir y permanece en silencio escuchando a su amigo.

Poco a poco, en el hotel todo vuelve a la normalidad. La ahora ya rica viuda permanece encerrada en su habitación. Valentina no puede evitar hacer sus comentarios maliciosos.

—La viuda está haciendo teatro. ¡No es sincera! En mi opinión está feliz de heredar todos esos millones, ¡y no le importa nada la muerte de su marido!

—¡Qué exagerada eres! —concluye Carolina que comienza a estar harta de todos aquellos chismorreos.

El martes siguiente, a la fiesta, cuando casi nadie habla ya del pobre señor Fishbottom-Newman y de su trágico final, tiene lugar otro desagradable incidente. Una anciana condesa austriaca, huésped habitual del hotel y odiada por todo el personal por sus continuas quejas, fallece súbitamente mientras está comiendo una sopa de verduras que solamente el tío Jorge tenía el cometido de prepararle.

El asunto comienza a despertar las sospechas del médico del hotel. La condesa era anciana, pero todos sabían que estaba en excelentes condiciones físicas y que cada día daba larguísimos paseos por la playa. La camarera personal que acompañaba a la anciana condesa en sus paseos, no puede hacer más que confirmar lo que todos saben. De todos modos, el doctor Roselló declara cautamente que esta vez también la causa de la muerte ¡puede ser un infarto!

No está muy convencido de su diagnóstico, pero de momento no tiene pruebas para demostrar lo contrario.

Cuando, no obstante, dos días más tarde muere otro huésped joven y excéntrico, precisamente cuando se estaba comiendo un plato de pescado preparado exclusivamente para él por el tío, el médico del hotel no puede eludir llamar a la policía.

La crónica de sucesos y también la crónica rosa se interesan por las "extrañas muertes" del Mallorca Gran Hotel. Durante los primeros días, los artículos son breves y poco interesantes, pero a poco a poco la prensa dedica cada vez más espacio a los acontecimientos del hotel. Los artículos publicados contienen desagradables insinuaciones acerca de esas extrañas muertes.

Periodistas y fotógrafos asedian el hotel. A la puerta esperan a los huéspedes para hacerles preguntas.

Todo es inútil.

Muchos de los ilustres invitados, disgustados por esa publicidad poco grata, comienzan a marcharse antes de tiempo. El señor Günther y la señora Elfriede están muy disgustados. Intentan salvar la situación de alguna manera pero sin éxito. En poco tiempo, el famoso hotel está ya casi vacío. Entre el personal comienzan a circular extrañas habladurías[1] y sospechas acerca de Henri y de sus celos hacia Jorge. Alguien, incluso, avanza la hipótesis de que el cocinero francés ha envenenado a los tres huéspedes para vengarse del tío. El desastre es completo cuando las autopsias revelan que las tres personas ¡han sido efectivamente envenenadas!

Es entonces cuando llega el comisario encargado del sumario. Entre todas las personas interrogadas, solamente Henri permanece retenido mucho tiempo por la policía y, cuando sale de la estancia, con el rostro encendido, transpirando y casi llorando, todos pueden oír al comisario que le dice:

—Le notifico que no puede abandonar el país bajo ningún concepto. Le espero en la comisaría mañana a las nueve.

1.   **habladurías** : murmuraciones, rumores.

Después de leer

Comprensión lectora

1 Vuelve a leer el capítulo e indica si las siguientes afirmaciones son verdaderas (V) o falsas (F).

	V	F

1 El personal del hotel está triste por la desaparición del millonario norteamericano. ☐ ☐

2 Por la noche Carolina decide saltarse la cena e ir al gimnasio. ☐ ☐

3 En opinión de Richard el millonario americano ha muerto por un infarto. ☐ ☐

4 Después de la muerte del señor Fishbottom-Newman el hotel está en el caos. ☐ ☐

5 La viuda no sale de su habitación. ☐ ☐

6 El miércoles siguiente en la fiesta muere un joven príncipe francés. ☐ ☐

7 El médico del hotel comienza a sospechar. ☐ ☐

8 La prensa comienza a interesarse por las extrañas muertes del hotel. ☐ ☐

9 El señor Günther y su ayudante no hacen nada para salvar la situación. ☐ ☐

10 La única persona interrogada largo tiempo es el Chef francés. ☐ ☐

2 En la narración de Richard sobre el señor Fishbottom-Newman hay algunos errores. Encuéntralos.

–¡Un ataque! –dice moviendo las manos –. ¡No puedo creerlo! El señor Fishbottom-Newman era una persona poco deportista. Venía todos los días a la playa para estar en forma. Yo mismo he podido constatar ¡que estaba en pésimas condiciones físicas! ¡Fíjate Carolina! Me ha telefoneado. Incluso de joven fue campeón de esquí y participó en las Olimpiadas... ¡Además no era tan rico! ¡Cuánto me alegro!

Gramática

Uso del pretérito perfecto y del pretérito imperfecto

El **pretérito perfecto** se utiliza para expresar acciones pasadas y que aún perduran en el presente.

Ej. *Mi hermano **ha llegado** hoy.*

Se utiliza además con acciones en las que no nos interesa informar cuando éstas ocurrieron.

Ej. ***He aprendido** el español en España.*

Es muy frecuente su utilización con los adverbios *aún* y *todavía*.

Ej. *Carolina, ¿Todavía no **has hecho** la habitación?*

El **pretérito Imperfecto**, en cambio, describe acciones habituales y repetidas en el pasado.

Ej. *La víctima **venía** todos los días al gimnasio.*

Además, indica una **acción pasada durativa** sin atender a su terminación.

Ej. *La condesa **daba** largos paseos por la playa.*

Se usa frecuentemente **en las descripciones**.

Ej. *La condesa **era** una mujer anciana.*

3 Conjuga los verbos entre paréntesis en imperfecto o pretérito perfecto.

1 Cuando yo (*ser*) .... joven, (*hacer*) .... mucho deporte. Ahora (*volverse*) .... perezosa.

2 Esta mañana mis hijos (*ver*) .... por primera vez la nieve.

3 En los años 80 mi hermana (*trabajar*) .... en Londres.

4 Cuando (*ser*) .... pequeña, mi hija (*tener*) .... un gato.

5 María (*terminar*) .... el examen.

6 Señorita ¿(*copiar*) .... usted el informe?

7 Hasta ahora el señor López no (*contestar*) .... a nuestra carta.

8 Los amigos de Marta ¿No (*llegar*) .... aún?

DELE **4** Cuéntanos: cuando eras pequeño/a ¿recuerdas como era...

    a tu habitación?

    b tu primera clase?

    c el patio donde jugabas?

    d la casa de tus abuelos?

    e tu primera profesora?

5 Carolina marca en su agenda las tareas diarias a realizar y, como es muy despistada, ha escrito una lista con las cosas que tiene pendientes. Léela y di luego que cosas ya ha hecho y cuáles todavía tiene que hacer.

   0 ~~Comprar el diccionario de inglés.~~ *Ya he comprado el diccionario de inglés.*

   1 Buscar el bañador. ....

   2 ~~Deshacer la maleta.~~ ....

   3 Cenar con Richard. ....

   4 Coger el móvil. ....

   5 ~~Comprar un regalo a mamá.~~ ....

   6 Comprar un regalo a Richard. ....

   7 ~~Poner bien el armario.~~ ....

   8 Escribir unas postales a mis amigos ....

   9 ~~Ver el SPA.~~ ....

  10 ~~Cenar con el tío Jorge.~~ ....

Expresión escrita y oral

6 ¿Te ha acontecido algo que ha cambiado tu vida? Si lo prefieres te lo puedes inventar. (80-100 palabras)

7 Eres periodista y tienes que escribir para la sección de Sucesos de tu periódico lo que ha ocurrido en el Gran Hotel.

8 Ahora escribe un artículo para la prensa del corazón sobre algún personaje famoso que se hospeda en el Gran Hotel.

Antes de leer

1 Estas palabras se usan en el capítulo 7. Asocia cada palabra a su imagen correspondiente.

a   banco
b   vaso de leche

c   linterna
d   paño

e   conserje
f   especiero

El final de una pesadilla

Ya son pocos los huéspedes que permanecen en el hotel. La preocupación que las "muertes misteriosas" han causado en el hotel inquieta mucho al director. El personal tiene poco trabajo y pasa la mayor parte del tiempo comentando los últimos acontecimientos. Y esto no es del agrado ni del señor Günther ni de la señora Elfriede. La señora Fishbottom-Newman transcurre las jornadas en su suite, de la que sale en escasas ocasiones. Cuando Carolina y Valentine entran para ordenar la habitación, la ven siempre en actitud triste, la mayor parte de las veces con la foto del marido entre las manos. El inevitable rumor de la joven francesa es:

—En mi opinión, la viuda no es sincera. ¡Está haciendo teatro!

Las investigaciones de la policía prosiguen lentamente, mientras que las sospechas acerca de Henri aumentan.

Las reuniones vespertinas de Carolina con Richard en el jardín que se encuentra detrás de la cocina continúan regularmente, aunque a los dos les resulta cada vez más difícil concentrarse en las lecciones de Inglés y de Español. Generalmente terminan hablando de lo mismo: los tristes sucesos [1] en el hotel.

También esta noche están sentados en un banco del parque. Hace calor, pero de la playa sopla una agradable brisa. En la planta baja todas las luces están apagadas. La cena para los huéspedes que quedan y la organización de la cocina han terminado hace tiempo.

—¡Es verdaderamente un buen lío! —suspira Carolina por enésima vez —. En mi opinión el culpable no puede ser Henri. El cocinero francés es un fanfarrón [2] pero desde luego ¡no es un asesino! ¡Aquí hay gato encerrado!

—¡Estoy totalmente de acuerdo! Henri grita y vocifera, pero ¡no es capaz de matar ni a una mosca! Desde luego, está muy celoso de Jorge, pero ¡no hasta el punto de convertirse en un asesino! Y además todos pueden entrar en la cocina y poner veneno en los ingredientes que solamente utiliza tu tío para preparar los platos. Nadie vigila ese recinto. Yo, por ejemplo, hace dos días no conseguía dormir, bajé a las tres de la madrugada y entré tranquilamente en la cocina para beber un vaso de leche. Todo estaba abierto y no había nadie, ni tan siquiera el conserje. ¿Te das cuenta? —concluye el joven en tono de desaprobación.

—¡Oh! —exclama la muchacha —. Se ha hecho tarde. Son ya las dos y yo...

No consigue terminar la frase porque Richard le tapa la boca con una mano.

—Ssshhh —le susurra —. Acabo de ver una luz tenue [3] en la cocina. Voy a ver qué pasa, pero tú no debes moverte de aquí.

1. **suceso** : accidente, desgracia.
2. **fanfarrón** : presuntuoso, vanidoso.
3. **tenue** : leve, baja.

—¡Ni de broma! —replica Carolina —. ¡Voy contigo!

Entran sin hacer ruido en la gran estancia y descubren a una persona, que con la ayuda de una linterna, está poniendo algo en uno de los especieros del tío.

—¡Oh! ¡Dios mío! —susurra la joven. Pero si es...

No consigue terminar la frase porque Richard precisamente en aquel momento tropieza [4] con un montón de platos, que caen todos al suelo. En el intento de cogerlos, se hiere en una mano y comienza a sangrar.

Por ir a buscar un paño o algo para tapar la herida, se aleja y deja sola a Carolina. Desgraciadamente, la otra persona también se ha dado cuenta de la presencia de los dos, y se acerca con gesto amenazante. En la oscuridad, consigue ver solamente a la joven. La aferra con fuerza, le pone las manos alrededor del cuello y comienza a apretar.

La presión es muy fuerte: Carolina no puede casi respirar, pero consigue gritar:

—¡Richard! ¡Socorro! ¡Socorro!

Sus gritos ponen todavía más desquiciado al agresor que, a su vez, comienza a chillar con un fuerte acento americano:

—¡Deja de gritar estúpida!

La cocina de repente se ilumina. Richard agarra a la agresora y la echa a tierra, mientras en la habitación irrumpen, agitados, el conserje, el señor Günther y su ayudante. La señora Fishbottom-Newman, furiosa y fuera de sí, intenta ponerse de pie, mientras continúa profiriendo en inglés palabras sin sentido.

4.   **tropezar** : dar con los pies en un obstáculo al ir caminando.

Después de leer

Comprensión lectora

1 **Vuelve a leer el capítulo y contesta a las siguientes preguntas.**

1 ¿Por qué tiene poco trabajo el personal del hotel?

2 ¿Cómo se comporta la señora Fishbottom-Newman?

3 ¿De qué hablan durante sus encuentros Richard y Carolina?

4 ¿Qué piensan los jóvenes de toda esta historia?

5 ¿Por qué Richard no deja hablar a Carolina?

6 ¿Qué ven los dos jóvenes cuando entran en la cocina del hotel?

7 ¿Qué incidente pone en peligro la vida de Carolina?

8 ¿Cómo reacciona la persona misteriosa?

9 ¿Quién acude a los gritos desesperados de Carolina?

10 ¿Quién es la persona misteriosa? ¿Cómo reacciona?

Léxico

2 **Une las expresiones del capítulo 7 a sus definiciones.**

1	Hacer teatro	a	Sentir la ausencia de alguien o algo
2	Un buen lío		
3	Ser un fanfarrón	b	Una gran confusión
4	Estar fuera de sí	c	Hablar sin parar
5	Haber gato encerrado	d	Fingir
6	No ser capaz de matar una mosca	e	Estar turbado o enajenado
		f	Preciarse de ser lo que no se es
7	Echar una mano	g	Ayudar
8	Echar un vistazo	h	Inspeccionar rápidamente
9	Echar de menos	i	No ser capaz de hacer daño a nadie
10	Ser un charlatán	j	Haber razones ocultas

3 **Haz el crucigrama.**

Horizontales

1 Perteneciente o relativo a la tarde.

2 Propósito, intención.

3 Sonido inarticulado y confuso más o menos fuerte.

4 Homicida.

5 Falta de luz.

Verticales

1 Donde se guardan las especias.

2 Pedazo de tela.

3 Voz que corre entre la gente.

4 Lo que hace la policía para descubrir una cosa.

5 El color del vestido de la señora Fishbottom.

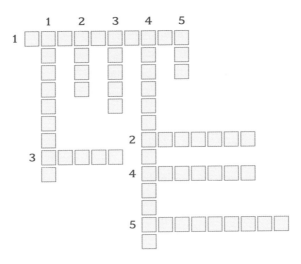

Gramática

Verbos pronominales

Son los verbos que se conjugan con un **pronombre** llamado **reflexivo**. La posición del pronombre objeto es inmediatamente delante del verbo, y antes del auxiliar en los tiempos compuestos.

Ej. Yo **me ducho** con agua fría.

Tú **te has duchado** con agua fría.

 4 Inserta en el espacio adecuado uno de los verbos pronominales a continuación indicados.

> **levantarse   acostarse   lavarse   entrenarse**
> **maquillarse   confundirse   ponerse**

1   Carolina por las mañanas .... a las 7 y .... a las 11 de la noche.

2   Richard .... en el gimnasio de 7 a 9 de la mañana.

3   ¿Vosotras .... los ojos para la fiesta?

4   María .... con agua fría todos los días.

5   Usted .... de persona, yo no soy Cristina.

6   Richard .... el abrigo para salir.

Expresión escrita y oral

5 Seguramente en la región donde vives hay hoteles de lujo. Escribe un breve texto dando información acerca de uno de ellos.

6 La viuda del millonario estadounidense sale raramente de su estancia. En tu opinión, ¿cómo pasa el día? ¿Lee? ¿Ve la tele? ¿Hace yoga? Coméntalo con tus compañeros.

Un invierno en Mallorca

TÍTULO ORIGINAL: Un invierno en Mallorca
AÑO: 1969
DURACIÓN: 106 min.
PAÍS: España
DIRECTOR: Jaime Camino
GUIÓN: Jaime Camino, Román Gubern (novela de George Sand)

En 1838 la escritora George Sand y el músico Frédéric Chopin, gravemente enfermo, llegan a Mallorca y allí quieren permanecer un invierno con el fin de vivir una estancia apacible y saludable para el músico. La autora llega acompañada de sus dos hijos, fruto de un matrimonio anterior, y descubre una isla maravillosa, en la que, sin embargo, vive gente de costumbres rurales y ancestrales que nada tiene que ver con los habitantes de París, su lugar de procedencia. Los

mallorquines, hostiles e inhóspitos con la pareja, no ven con buenos ojos la relación entre la escritora y Chopin, y nadie quiere facilitarles alojamiento. Al final encuentran hospitalidad en la aislada cartuja de Valldemosa, y sobre esta difícil experiencia George Sand escribe un cuaderno de viaje autobiográfico que, en 1969, el director español Jaime Camino lleva a la gran pantalla.

1 La experiencia de Sand y Chopin en Mallorca fue bastante dura. Busca en Internet información acerca de *Un invierno en Mallorca* y contesta a las siguientes preguntas.

a ¿Cuánto tiempo duró la permanecencia de los dos en Mallorca? ¿Después se fueron a otras ciudades?

b ¿Qué enfermedad padecía Chopin? ¿Consiguió mejorar de su enfermedad?

c ¿Qué actores personifican a los dos artistas en la película de Camino?

CAPÍTULO 8

No hay mal que por bien no venga

Hoy también en el aeropuerto hay mucha gente que se marcha 🔟 o que llega. En una mesita en un rincón del bar, un grupito de personas charla mientras termina de beber una copa. Una señora rubia, con aspecto preocupado habla en voz baja a una joven que probablemente es su hija, y que probablemente no la está escuchando. Se ve claramente que las continuas habladurías de la madre no le interesan mucho. De repente un señor alto y delgado, que forma parte del pequeño grupo, interrumpe amablemente a la señora rubia:

—¡Basta Luisa! ¿No ves que Carolina ya está harta de tus consejos? Nuestra hija ya es mayor y sabe lo que hace. ¡No hay que olvidarse de que ha vivido aventuras bastante más peligrosas este verano!

—Papá tiene razón —interrumpe un joven alto con cabello rubio—. Dale un beso y nos despedimos. ¡Venga! Ya es hora de irnos.

No hay mal que por bien no venga

Todos se levantan y se dirigen hacia la puerta de salida. Besos, abrazos, despedidas, y unas lágrimas de su mamá, acompañan a Carolina, que deja a su familia para subir al avión.

Durante las largas horas de vuelo, la joven vuelve a pensar en su aventura estival. "¡Afortunadamente todo ha salido bien! ¡Desde luego que tuve miedo aquella noche! ¡Aquella terrible señora Fishbottom-Newman me quería matar pero Richard y todos los demás han llegado a tiempo! ¡Quién sabe en qué prisión americana se encuentra ahora la muy bellaca! ¡Le está bien merecido! Al principio ha negado todo y ha continuado culpando al pobre Henri. Pero el comisario no la ha creído: ¡Todas las pruebas estaban en su contra! ¡Pobre cocinero francés!" se lamenta la joven.

"¡Ahora es él la estrella del *Mallorca Gran Hotel*! El tío ha dejado el hotel y ha realizado su gran sueño de siempre. El pequeño pero refinado restaurante que ha abierto en nuestra ciudad ¡ya es famoso entre todos los gourmets! ¡Pues sí! ¡El tío es verdaderamente bueno! De todos modos, después de aquel feo episodio, ¡Henri ya no es tan fanfarrón como antes! ¡Él y el tío han llegado a ser amigos!"

Con este pensamiento la joven no puede evitar reír. Recuerda con alegría el momento en el que Henri ha pedido perdón al tío y le ha dado la mano.

"También la señora Elfriede y el señor Günther" continúa pensando la joven mientras mira las nubes oscuras que pasan por delante de la ventanilla "se han marchado del hotel. Es una lástima, pero el señor Günther se sentía un poco responsable de lo acontecido. Y por lo demás, él también ha realizado el sueño de su vida: ¡un hotelito exclusivo en los Alpes suizos! De todos modos, cuando él y su ayudante se han casado, han hecho verdaderamente una gran fiesta."

Sus pensamientos son interrumpidos por la azafata que llega para servir el almuerzo. La joven lo prueba y piensa: "¡Qué diferencia! El banquete para la fiesta de bodas que el tío y Henri prepararon juntos, era simplemente ¡divino! En cambio esto…¡No importa!"

Mira nuevamente por la ventanilla y vislumbra en la lejanía una pequeña isla.

"Valentine se ha quedado en el hotel" piensa Carolina con una sonrisa irónica ". ¡Quién sabe a quién le toca ahora escuchar sus continuos chismorreos!"

Todos estos pensamientos le dan sueño. Cuando se despierta, el viaje está a punto de terminar. Se prepara, desciende del avión, y después de haber recuperado el equipaje, sale a la gran sala de llegadas y mira atentamente entre las personas en espera a la búsqueda de alguien.

"¡Ahí está!" piensa emocionada ". ¡Ahí está!"

Agita la mano y grita feliz:

—¡Hola Richard! ¡Aquí estoy! ¿Cómo estás?

Después de leer

Comprensión lectora

1 Vuelve a leer el capítulo y elige la alternativa correcta.

1 El capítulo 8 comienza
   - a ☐ en el restaurante.
   - b ☐ en el hotel.
   - c ☐ en el aeropuerto.

2 Las personas que acompañan a Carolina son
   - a ☐ sus padres y el tío.
   - b ☐ sus padres y su hermano.
   - c ☐ sus padres y Valentine.

3 El segundo chef Henri ahora
   - a ☐ trabaja en un restaurante en Francia.
   - b ☐ es la estrella del Mallorca Gran Hotel.
   - c ☐ está jubilado.

4 Valentine
   - a ☐ ya no parlotea, pero continúa trabajando en el Mallorca Gran Hotel.
   - b ☐ se ha casado con Henri.
   - c ☐ continúa parloteando y todavía trabaja en el Mallorca Gran Hotel.

5 En el avión Carolina
   - a ☐ lee un libro.
   - b ☐ piensa en sus padres.
   - c ☐ se duerme.

6 Cuando llega a su destino ve que la está esperando
   - a ☐ el tío Jorge.
   - b ☐ Richard.
   - c ☐ la señora Fishbottom-Newman.

Léxico

2 **Busca el intruso.**

1 avión / barco / trayecto / bar

2 hija / prima / tía / vecina

3 besos / abrazos / saludos / plaza

4 estival / otoñal / invernal / calor

5 italiano / español / francés / chino

6 mano / boca / mesa / brazo

7 desayuno / comida / cena / cuchara

8 maleta / mochila / bolso / carta

9 recepción / vestíbulo / ventana / habitación

10 plato / tienda / servilleta / tenedor

11 comedor / sopa / tarta / ensalada

12 aeropuerto / islote / estación / parada de autobús

3 **Durante el vuelo Carolina piensa en su aventura estival. Subraya la palabra correcta entre las propuestas.**

1 Durante la agresión, Carolina ha pasado hambre/miedo/frío.

2 La señora americana la quería ayudar/atar/matar.

3 La señora Fishbottom-Newman es estúpida/astuta/perezosa y ahora está en una prisión de los Estados Unidos.

4 El tío Jorge ha abierto un restaurante/bar/hotel.

5 Henri ha pedido ayuda/dinero/perdón al tío Jorge.

6 El señor Günther y su ayudante se han casado/prometido/escapado.

7 El hotel que han abierto en los Alpes suizos es antiguo/tranquilo/exclusivo.

8 El almuerzo de boda de los dos era simplemente divino/estupendo/fabuloso.

9 Cuando Carolina baja del avión pierde/recupera/lanza su equipaje.

10 Carolina, al ver a Richard, baja/cierra/agita la mano para saludarle.

4 Estamos en el aeropuerto. ¿Quién dice qué?

1 El/la pasajero/a
2 La azafata
3 El empleado de la tienda libre de impuestos
4 El empleado del check-in
5 El aduanero
6 El piloto

a ☐ ¡Documentos por favor!
b ☐ ¡Ponga la maleta en la cinta por favor!
c ☐ Su perfume. ¿Me muestra su tarjeta de embarque, por favor?
d ☐ ¿Le apetece un café o prefiere un té?
e ☐ Señoras y señores, buenos días, soy el Comandante Echevarría. Bienvenidos a bordo del vuelo de Palma a Nueva York.
f ☐ Perdone, ¿me puede decir dónde está la oficina de cambio?

Gramática

La perífrasis verbal *estar* + gerundio

Se usa *estar* + gerundio para describir una acción que se está desarrollando en ese preciso instante.

Se forma con el **verbo estar** conjugado y se añade **-ando** a las raíces de los verbos de la primera conjugación, y **-iendo** a las raíces de los verbos de la segunda y tercera conjugación.

Ej. *Carolina* **está mirando** *por la ventana.*

5 Escribe los verbos entre paréntesis con la perífrasis *estar* + gerundio.

1 Su hija no la (*escuchar*) ....
2 Carolina (*dar*) .... un beso a su madre.
3 Todos (*dirigirse*) .... a la puerta de salida.
4 La joven (*pensar*) .... en su aventura estival.
5 Carolina (*dormir*) .... durante el vuelo.
6 Ahora (*buscar*) .... a Richard.

6 Carolina está en el avión. Completa el diálogo.

Carolina: ¡Azafata, por favor!

Azafata: ¿...?

Carolina: ¿...?

Azafata: El almuerzo lo servimos dentro de media hora.

Carolina: ¿...?

Azafata: Claro que sí. ¿Cómo lo quiere, normal o descafeinado?

Carolina: Normal, con un poco de leche.

Azafata: ¿...?

Carolina: Con edulcorante, por favor.

Azafata: Enseguida se lo traigo.

Carolina: Gracias.

Expresión escrita y oral

7 El tío Jorge ha abierto su pequeño, pero refinado restaurante. ¿Cuál puede ser el nombre? Haz una o dos propuestas y escribe a continuación el nombre.

....

8 Organiza un viaje. Decide:

- El destino: ¿prefieres ir a la playa o a la montaña?
- El medio de transporte en el que te gustaría ir;
- El periodo del año y la duración del viaje;
- La persona o las personas con las que te gustaría hacer el viaje;
- El tipo de ropa que vas a meter en el equipaje;
- El tipo de viaje que prefieres hacer: ¿aventurero o relajante?

1 Pon en orden el resumen de la historia.

a ☐ Desgraciadamente en el hotel suceden algunos incidentes desagradables. En primer lugar, muere, durante la fiesta de cumpleaños de su esposa —una persona arrogante y antipática— un simpático y amable millonario americano y seguidamente otros dos huéspedes.

b ☐ El ambiente en el hotel es muy tenso. Muchos huéspedes preocupados por el escándalo y por el interés de la prensa, se marchan antes de tiempo. Todos sospechan de Henri. Piensan que para vengarse del tío Jorge, que es más competente que él, ha matado a los huéspedes.

c ☐ Carolina no tiene ganas de pasar el verano en la playa con sus padres, como todos los años. Muy contenta acepta la invitación del tío Jorge, famosísimo y experto cocinero, para hacer prácticas durante las vacaciones en el mismo hotel de lujo junto al mar, en el que también él trabaja.

d ☐ En el hotel conoce a muchas personas: a Valentine, una chica francesa de su misma edad pero chismosa; a Richard un joven americano muy deportista; al señor Günther, el director del hotel y a su ayudante la señora Elfriede; al cocinero francés Henri, muy celoso del tío de Carolina.

e ☐ Al final la verdad sale a flote. Una noche, tarde, Richard y Carolina ven una tenue luz en la cocina del hotel, entran y después de una peligrosa agresión a Carolina, descubren que el asesino es la esposa del millonario americano que quería heredar su fortuna. La policía arresta a la viuda y todo termina bien.

f ☐ Al inicio el diagnóstico del médico del hotel es un infarto, pero después de las otras dos muertes misteriosas, debe reconocer que se trata de una asesinato y llama a la policía.

2 Encuentra la palabra intrusa.

mielmantequillacroissantlechecerealespiscinamermeladapanbiscottes

La palabra intrusa es ....

3 **Resuelve el crucigrama.**

Horizontales

1   La de Carolina está muy preocupada por su hija.

2   Carolina lo recupera en el aeropuerto al final del viaje.

3   Carolina se despide de ellos cuando sube al tren y al avión.

4   Richard es de Boston; es...

Verticales

1   La nacionalidad de la señora Elfriede.

2   El hotel está a orillas de ese mar.

3   La nacionalidad del señor Günther.

4   El Gran hotel es un hotel de...

5   Valentine desconfía de la señora Fishbottom-Newman y no le quita el...

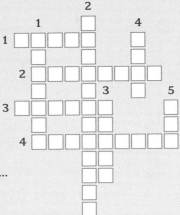

4 **Lee las descripciones y escribe el nombre de la persona a la que se refieren.**

1   Soy francesa, soy la responsable de la recepción. ....

2   Yo también soy francesa y trabajo en el hotel desde hace tiempo. ....

3   También yo soy francés. Llevo bigote, tengo algunos problemas de línea, pero soy atractivo. Si no fuera por Jorge sería el número uno en el hotel. ....

4   Soy español, pero he trabajado en el mundo entero. Ahora, sin embargo, prefiero trabajar en España. Soy muy famoso. ....

5   Yo también soy española. Este es para mí un verano especial. Trabajo aquí en el hotel para hacer prácticas. ....

6 No soy española. Tengo casi 40 años. Soy rubia y todos dicen que tengo un aspecto agradable. ....

7 Yo tampoco soy español. Tengo una posición muy importante en el hotel. Me gusta la ropa elegante. ....

8 No hablo muy bien español, pero quiero aprenderlo porque mis abuelos procedían de España. Me gusta mucho hacer deporte. Me gustaría ser médico. ....

5 **Elige la definición adecuada.**

1 "Dar una vuelta" significa

   a ☐ girar en círculo.

   b ☐ dar un paseo.

2 "Echar una mano" significa

   a ☐ dar la mano a alguien.

   b ☐ ayudar a alguien.

3 "Echar un vistazo" significa

   a ☐ mirar algo para obtener una breve información.

   b ☐ mirar algo sin prestar atención.

4 "Hacer cumplidos" significa

   a ☐ expresar un juicio acerca de algo.

   b ☐ expresar admiración acerca de algo.

5 "Estar en boca de todos" significa

   a ☐ molestar a todo el mundo.

   b ☐ ser argumento de conversación o habladurías.

6 "Hacer teatro" significa

   a ☐ actuar en una obra de teatro.

   b ☐ fingir algo.